Посвящается
Максайну и Крису.
                    Дж. Ч.

Не хочу я спать!

Джейн Чапмен

МОСКВА

ОЛМА

ТОРГОВЫЙ ДОМ «АБРИС»
2020

УДК 821.111-053.4(41)
ББК 84(4Вел)-44
Ч19

Jane Chapman
I'M NOT SLEEPY!
First published in Great Britain 2012
by Little Tiger Press, an imprint of the Little Tiger Group
1 Coda Studios, 189 Munster Road, London SW6 6AW

Издание подготовлено при участии ООО «ЭДЛИБРУМ»

Чапмен, Дж.

Ч19   Не хочу я спать! : [сказка] / Джейн Чапмен ; пер. с англ.
Лапшиной Г. С. — Москва: Абрис, 2020. — 32 стр.: ил. — (Лучшие
сказки для спокойной ночи).

ISBN 978-5-00111-389-8

Бабушка Сова выбилась из сил, пытаясь уложить Совёнка спать. А он
то просит почитать, то поиграть, то подоткнуть одеялко. Тогда бабушка
Сова решает поменяться с внуком местами. Получится ли у Совёнка
уложить спать бабушку?

Английская писательница и художница Джейн Чапмен выпустила
более ста книг для детей, изданных в 20 странах мира.

УДК 821.111-053.4(41)
ББК 84(4Вел)-44

ISBN 978-5-00111-389-8

Когда наступало время ложиться спать,
Бабушка Сова относила совёнка Мо
в его гнездо на самую верхушку дерева.

Прыг... Вверх... Полетели...

ШУУХ!

— Уф! — тяжело вздохнула Бабушка, опускаясь на ветку. — Вот мы и добрались.

Бабушка хорошенько взбила листья в уютном гнёздышке и заботливо уложила туда внука.
— Поиграешь со мной? — хихикнул Мо.

— Нет, мой милый! Пора спать, — улыбнулась Бабушка. Она поцеловала малыша и слетела вниз, где её ждала интересная книга.

Когда в небе появились первые звёздочки, Бабушка услышала наверху какой-то шум.

— Мо, это ты? — спросила она.

— Да!.. — пискнул внук. — Мне перед сном никто не дал моё печеньице!

— Печенье перед сном!
Как же я могла забыть! —

Бабушка взмахнула крыльями...

Прыг... Вверх... Полетели...

ШУУХ!

... и села у гнезда.

Бабушка Сова села рядом с Мо и подождала, пока внук доест печенье. Довольный Мо заулыбался.

— Поиграем? — Совёнок хитро посмотрел на Бабушку, откусывая очередной кусочек.

— Нет, мой Пончик, уже очень поздно, — сказала Бабушка, поцеловала внука и упорхнула.

Даже летучие мыши уже отправились спать в своё дупло, когда сверху вдруг посыпались листья.

— Мо! — позвала Бабушка. — У тебя всё в порядке?

— Нет!.. Меня же никто не укрыл одеялком!

— Его никто не укрыл одеялком, — вздохнула Бабушка. — Надо лететь наверх.

Прыг... Вверх... Полетели...

ШУУХ!

И она опустилась возле гнезда.

Бабушка взбивала, и расправляла,

и подтыкала, и переворачивала...

...пока Мо не стал похож на зелёный блинчик,
который никак не хотел лежать спокойно.

— Поиграешь со мной? — расхохотался он.

— Нет, малыш! ПОРА СПАТЬ! — терпеливо объясняла внуку Бабушка. — И больше меня не зови! Ну если только не случится какая-нибудь авария.

Она поцеловала Мо и вернулась к своей книге.

Наконец-то настала тишина. Бабушка устроилась поудобнее. Но только она перевернула страницу, как...

— БАБУШКА! БАБУШКА! СЛУЧИЛАСЬ АВАРИЯ!

— ЧТО ЗА АВАРИЯ! —

испугалась Бабушка. — Ох-ох-ох!

— Что случилось? Что за авария! — воскликнула Бабушка, увидев, что малыш целый и невредимый сидит среди листьев.

— Я совсем не хочу спать! — заявил Мо.
— И я не хочу лежать.
Я хочу играть!

Бабушка Сова устроилась вместе с внуком в его уютном гнёздышке.

— Мо, уже совсем темно, — сказала она. — Наступила ночь. А когда наступает ночь, ВСЕ должны укладываться в кроватки. И я сейчас так сделаю. А ты можешь не спать.

— ДА! ДА! ДА! — обрадовался Мо. —
Тебе же будут нужны свежие листья...
и печенье перед сном... и чтобы
я укрыл тебя одеялком...
... и КАЖДЫЙ раз я тебя поцелую.

У Совёнка оказалось столько дел, что времени поиграть совсем не осталось.

Это же так непросто — укладывать Бабушку спать.

Прыг... Вверх.... Полетели.... ШУУХ!

Прыг... Вверх...

Даже у звёзд начали слипаться глаза, когда снизу раздался тоненький голосок.
— Бабушка!.. Я так хочу спать.
— Конечно, мой крошка. Уже очень поздно! — сказала Бабушка Сова.

И она слетела вниз к своему любимому Совёнку.
   Малыш забрался Бабушке на спину.

ПРЫГ...   Вверх...   Полетели...

и она понесла Мо...

всё выше...

и выше...

ШУУХ!

в его гнёздышко...

Бабушка Сова убаюкала Мо и укрыла его мягкими листьями.

— А теперь засыпай, — улыбнулась она.

Потом Бабушка ласково пригладила внуку пёрышки, поцеловала его и наконец-то снова опустилась к подножию дерева, где её давно ждала книга.

В серии «Книжка на сладкое»

собраны самые «вкусные» книжечки!
Их с любовью писали и с удовольствием рисовали.
«Книжки-конфетки» радостно дарить.
А читать их — одно наслаждение!

В каждой чудесной истории, как в хорошей сказке,
есть «намёк» и «урок» —
и «добрым молодцам», и «красным девицам»!

Литературно-художественное издание
Для чтения взрослыми детям

Джейн Чапмен

НЕ ХОЧУ Я СПАТЬ!

Ответственный за выпуск *Н. Ю. Памфилова*
Компьютерная верстка *В. В. Рахмилевич*
Корректор *О. П. Байкова*

Подписано в печать 22.12.2019. Формат 84 x 108^1/$_{12}$. Гарнитура TextBookC.
Печать офсетная. Бумага мелованная. Усл.-печ. л. 4,48. Тираж 1500 экз. Заказ № 138.

В соответствии с ФЗ-436 для детей старше 0 лет.
Налоговая льгота — Общероссийский классификатор продукции ОК 005–93—953000.

По вопросам приобретения продукции просим обращаться по следующим адресам:

Интернет-магазин «АБРИС»
www.tdabris.ru
8 (495) 981-10-39; 8 (926) 611-98-46
8 (925) 999-70-00
zakaz@tdabris.ru
Доставка по России курьерскими службами,
транспортными компаниями и Почтой России

г. Москва и регионы РФ
ООО «Торговый дом «Абрис»
г. Москва, ул. Краснопролетарская, д. 16, стр. 3
По вопросам оптового приобретения продукции:
8 (495) 229-67-59 (многоканальный)
www.textbook.ru

г. Санкт-Петербург
ООО «Абрис СПб»
*По вопросам розничного приобретения
продукции:*
Книжная ярмарка ДК им. Крупской,
пр. Обуховской Обороны, д. 105,
павильон № 43 , место № 24, магазин «Учебники»
(м. «Елизаровская»)
8 (812) 335-01-61; 8 (911) 107-39-48
По вопросам оптового приобретения продукции:
Железнодорожный пр., д. 20
(м. «Ломоносовская»)
8 (812) 612-11-03; 8 (812) 327-04-50
info@prosv-spb.ru

г. Калуга
ООО «Школьный МИР»
*По вопросам розничного и оптового
приобретения продукции:*
ул. Достоевского, д. 29, помещение 66
Тел./факс: 8 (4842) 57-58-51; 8 (910) 866-51-81
ooomir40@yandex.ru

г. Киров
ООО «Абрис Вятка»
*По вопросам розничного приобретения
продукции:*
ул. Комсомольская, д. 63
8 (8332) 255-250
*По вопросам оптового приобретения
продукции:*
ул. Комсомольская, д. 63
8 (8332) 699-668;
8 (8332) 705-805;
AbrisVTK@textbook.ru

г. Симферополь
ООО «Торговый дом «Абрис»
*По вопросам розничного приобретения
продукции:*
Магазин «Школьный мир»
ул. Ленина, д. 27
8 (978) 092-85-17
*По вопросам оптового приобретения
продукции:*
ул. Крылова, д. 172
8 (3652) 78-84-07;
8 (3652) 78-83-65; 8 (978) 091-05-91
znanie@textbook.ru

г. Уфа
ООО «Абрис-Уфа»
*По вопросам розничного и оптового
приобретения продукции:*
пр. Октября, д. 97/1, помещение 1
8 (347) 246-46-11;
8 (347) 246-38-01
8 (987) 052-43-46
AbrisUfa@textbook.ru

ООО «Торговый дом «Абрис»
127473, г. Москва, ул. Краснопролетарская, д. 16, стр. 3, эт. 2, пом. I, ком. 8

Отпечатано в филиале «Тверской полиграфический комбинат
детской литературы» ОАО «Издательство «Высшая школа»
Российская Федерация, 170040, г. Тверь, проспект 50 лет Октября, д. 46
Тел.: +7 (4822) 44-85-98. Факс: +7 (4822) 44-61-51